중2의 우당탕탕 대모험!

중2의 우당탕탕 대모험!

발　행 | 2024년 1월 15일
저　자 | 김소원
펴낸이 | 한건희
펴낸곳 | 주식회사 부크크
출판사등록 | 2014.07.15.(제2014-16호)
주　소 | 서울특별시 금천구 가산디지털1로 119 SK트윈타워 A동 305호
전　화 | 1670-8316
이메일 | info@bookk.co.kr

ISBN | 979-11-410-6665-9

www.bookk.co.kr

중2의
우당탕탕
대모험!

김소원 지음

목차

1학기

2학기

들어가며

이 이야기는 훗날 성인이 된 내가 봤을 때 창피하라고 만든 이야기입니다(?) “암튼 순수하지 않은 악마” 소원이가 중학교 2학년 때 무슨 짓거리를 했는지 함께 알아보시죠.

설마,

이 이야기를 사실이라고 믿는 분은 없겠죠?

* 이 이야기는 사실과 무관한 내용을 담고 있습니다.^^*

1학기

Day 1[학기 첫날]

중학교 2학년 첫날 때 일이다. 그날따라 운도 안 좋고 아는 친구도 없으니 앞으로의 학교 생활이 걱정된다.

“하, 어쩌지. 그냥 혼자 다녀야겠다.”
라고 생각하던 그때! 누군가 나에게 말을 걸어왔다.

그 친구의 이름은 ‘지수’ 처음이라 많이 어색했지만, 같은 취미 등의 이유로 점차 친해지기 시작했다. 지수의 첫 인상은 정말 애교가 많고 말투가 이뻤다. 그러던 중 지수가 누군가에게 다가가 말을 꺼낸다.

“아! 안녕? 너 멋있다. 이름이 뭐야?”

"..? 어 안녕"

"어, 어, 소원아 이쪽으로 와봐~"

라고 하면서 그 친구를 끌고 오는 것이다. 나는 처음에 매우 당황했다. 그 친구는 나랑 어릴 때 사이가 별로였기 때문이다. 하필 그 친구랑 같은 반이라니 정말 짜증난다. 쌤이 정말 원망스럽다. 그러던 중 수업 종이 쳤고, 나는 자리로 돌아갔다. 첫 수업은 과학이었다. 내가 좋아하는 과학이라니 마음이 두근대면서 설렜다. 잠시 후, 과학쌤이 오시더니 자기소개를 했다.

"안녕 나는 앞으로 2-4에 담임 천빰빰 쌤이다. 앞으로 잘 부탁한다."

"네에~"

우리는 45분 동안 과학 수업을 열심히 들었다. 첫 번째 수업 내용은 원소기호에 관한 과학

자와 그런 기호들을 배웠다. 처음에는 정말 어려웠지만 쌤이 잘 가르쳐주신 덕분에 조금이나마 이해가 됐다.

그런데, 쌤이 지금까지 배운 원소기호를 외우라고 했다. 5분 뒤에 시험을 본다나 뭐라나. 암튼 그래서 우리는 열심히 외웠다.

5분뒤.

"자~이제 시험 보자~ 컨닝하면 알쥐?"

"네~"

이렇게 말씀하시고 나서 먼저 끝낸 애들을 감시자(?)로 붙였다. 내 감시자로 온 아이의 이름은 정여원이었다. 아직 학기 초라서 많이 안 친했지만 그래도.. 뭐.. 말은 했다. 그러던 중, 나를 감시하던 여원이가 쌤에게 이렇게 말했다.

"쌤, 얘 컨닝해요!!"

“뭔소리야. ㅋㅋ 쌤 아니에요!”

다행히 목소리가 작아서 쌤 귀에는 안 들어갔지만, 순간적으로 쪽팔렸다. 그때 옆에 있던 지수가 빵 터지며 웃더니 내게 물었다.

“너네 원래 아는 사이냐 ㅋㅋ?”

“아니, 오늘 처음 봤어~”

“근데 원래 알던 사이같이 말하네 ㅋㅋ"

우리는 재미나게 말하던 중 쌤이 자리로 돌아가라 했다. 아쉽다 좀 더 물어보려고 했는데

잠시 후. 쉬는 시간을 알리는 종이 쳤다.

“소원아~! 그림 그린 것 좀 보여주라~”

“어어? 나 집에 두고 와서 내일 보여줄게~”

"힝, 아쉽다. 우리 다음에 또 놀자!"

"어, 그래 같이 놀자."

확실히 첫날이라 그런지 지수랑 많이 어색했다. 그래도 첫날에 바로 친구 사귀었으니 감지덕지 아닌가 싶다. 다행이다. 이번엔 1학년 꼴 안 나겠지.

Day 2 [그림 주제]

이날은 비가 무지무지 오던 날 이였다. 하루종일 안좋은 일만 일어나고, 한달만 있으면 중간고사라니.. 앞길이 막막했다.

"아! 오늘 왜 이렇게 일이 꼬이냐."

그렇게 고민을 하던 중 종이 치고 역사 시간이 다가왔다. 처음에는 너무 졸려서 자려고 했지만, 중간고사가 코앞이라 잘 수가 없었다. 하지만! 그건 나의 망상인 것 같다. 그때 나는 꿀잠을 자고 있었으니. 생각할수록 쪽팔린다. 중간고

사가 코앞인데 자는 놈이라니..ㅋㅋ 어느덧 2~3 교시가 끝나고 점심시간이 다가왔다.

“소원앙~ 너 뭐 그리고 있었엉~?”

“걍..이것 저것? 왜?”

“구래 같이 그리자.”

어우, 이녀석. 원래 말투가 이랬나? 생각할 수록 좀 그렇지만 일단, 참기로 했다. 우선 주제부터 뭘 정해야할까?

“야~야! 소원! 오늘은 비가 오니깐 주제는 비로 하자~”

“어..어 그래"

나는 정성껏 그림을 그렸다. 오늘따라 그림은 내 마음을 대변하는 것 같기도 하고, 아닌 것 같

기도 했다. 나는 슬쩍 지수 그림을 봤다. 지수 그림은 범접할 수 없는 그림인 것 같다. 아이고.. 난 그른 것 같다. 어느덧 빗줄기가 얇아지고 지수가 나에게 말한다.

“오늘 학교 끝나고 집 같이 갈래?”

“전에 보니까 나랑 가는 길 같더라~”

“그래. 그러지 뭐. 근데 너 버스타고 와?”

“웅! 몰랐어? 아참! 내가 안 말해줬지? ㅎㅎ 암튼 같이 가기로 한거다~?”

“어..어 그래.”
(어우. 살았다.)

땡땡땡~

마지막 시간은 창체 담임쌤의 시간이다. 잠시

후 쌤이 들어오시더니 반장을 뽑는다고 했다. 누가 나올지 정말 궁금한 가운데 몇몇 아는 사람이 보였다. 그런데 왜 믿음직한 사람은 없는 걸까?

“자~ 손든 반장 후보는 나오세요.”

쌤은 아주 거창한 목소리로 애들을 앞으로 불러 모았다. 잠시 후 쌤은 앉아 있는 애들에게 투표 용지를 나눠주고는 원하는 반장을 적으라고 하셨다.

“1학기 동안 쌤을 도와줄 반장은?”

두구두구….

“앵그리시안!!”

“우아! 근데 저놈이 왜 뽑힌거지? 어우..”

“ㅋㅋㅋ 소원아, 너무 그러지마.”
“웅. 그래도 저건 좀.”

“에이. 재 잘할 것 같은데?”

“나중에 알게 될 거다.”

“에?”

땡땡땡~

“어! 종쳤네. 나머지 이야기는 조회 때 하고! 이만 가렴”

“쌤~ 종례 왜이렇게 빨리 끝내요?”

“아 쌤이 좀 바빠서. 암튼 가렴!”

와! 저렇게 쌤이 쿨하게 보내는 건 난생 처음 본 것 같다. 근데 난 몰랐다. 이렇게 빠른 종례

가 오늘 처음이자, 마지막이라는 걸. 왜냐고? 아마, 우리가 너무 떠들어서 그런 것 같았다. 이래서 담임샘 말을 잘 들어야지. 그때 나는 왜 떠들고 있었을까? 이유를 모르겠다. 그렇게 종례는 자연스럽게 10분, 20분 씩 늘어났지 뭐. 에이씨. 말 좀 잘 듣지 얘들아!!!!

Day 3 [카드 게임]

오늘은 시험 이어서 쌤이 자습을 주셨다. 하! 벌써 시험 2주 전이라니. 설레면서도 두려웠다. 근데 내 앞자리에 홍수빈이 트럼프 카드를 가지고 탑을 쌓고 있던 거 아닌가. 그런데 좀 신기했다. 어떻게 탑을 저렇게 쌓을 수 있을까? 궁금했다. 근데 어떤 남자 아이가 그 카드 탑을 부쉈다. 순간! 홍수빈의 표정이 싸악 바뀌었다.

“야! 주워.”

“어! 어! 알았어.”

그때부터였나? 애들이 홍수빈을 안 건들게 된 계기가 됐다. 어느덧 점심시간이 되고 홍수를 비롯해 나랑 친한 친구끼리 둘러 앉아 이야기를 하고 있을 때 홍수가 한가지 제한을 했다.

"야! 우리 원카드 해볼래?"

"원카드? 그게 뭔데?"
"일단 하면서 설명해줄게."

그렇게 홍수는 원카드의 규칙을 대충 설명해주고는 게임을 시작했다. 나는 룰을 알고 있었지만, 다른 애들은 이해를 못한 것 같았다. 그때. 나에게 조커 카드(백조)라고 불리는 카드가 들어왔다. 이것만 있으면 친구에게 카드를 11장 먹일 수 있으니 너무 행복했다. 긴장감 속에 옆에 있던 홍수가 나에게 제안했다.

"야. 내가 흑조 낼 테니, 네가 백조를 내서 정여원을 박살 내 버리자."

"okay~"

우리는 그렇게 작전을 짜고 내가 'Q카드'를 이용해 순서를 바꿨다. 순간 홍수의 눈빛이 바뀌었다. 난 약간 소름 돋았지만, 여원이는 아무것도 모른다는 듯이 카드를 낼 준비를 하고 있으니 살짝 불쌍해 보였다.

"가즈아ㅎㅎ!"

스읍.

"으아니! 흑조라니 그렇다면ㅎ"

스읍.. 찹!

그때 여원이의 표정을 잊을 수가 없다. 그의 흔들리는 눈동자, 불안한 손떨림, 그리고 그걸 지켜보는 홍수빈의 웃는 눈과 숨길 수 없는 승

리의 미소까지! 그렇게. 여원이는 흑조 + 백조 총 21장의 카드를 손에 쥐게 되었다. 그때 좀 봐줄걸 그랬나, 그래도 게임이니깐 여원이가 기분 안 나빴으면 좋겠다.

"이것들이, 웃어? 웃어??! 니들 두고 보자."

"응~ 담에 안하면 그만이야."

"니 목숨은 다음이 있을 것 같아?"

"죄송합니다."

이렇게 원카드는 1명 빼고 재밌게 끝났고, 나는 그 뒤로 여원이한테 어우~ 이건 너무 잔인해서 말해줄 수 없어. 미안해!!! 여원아!!
(근데, 재밌는 것을 어떡해. 다음에도 또 같이하자고 할까? 아니야, 또 그러다가 맞을지도 몰라. 흐이익!)

"어우, 이것들 다음에 또 그러면 진짜 죽어."

"네넵.. 명심하겠습니다."

Day 4 [중간고사]

오늘 드디어 중간고사.

첫 시험이라니 벌써부터 떨린다. 근데 난 하나도 준비 안했는 데 큰일났다. 그래서 나의 특급 센스를 발휘하여 교과서 내용을 암기하고 있었다. 근데 옆에 지수가 슬쩍 오더니 시험 준비 잘 했냐고 물어봤다. 난 순간 당황해서 거짓말이 튀어나왔다.

"어! 잘했지~ 너는?"

"난, 별로 못했거든."

그렇게 자신감 있게 말하고는 난 자리로 돌아갔고, 몇분 뒤 쌤이 들어오셔서 말씀하셨다.

“자! 모두 핸드폰 및 전자기기는 다 제출했죠? 9시에 시험 시작하니까 정신 바짝 차리도록.”

“네~”

그렇게 쌤은 한 말씀 하시고 감독하러 나가셨고 순간 정적이 흘렀다. 나는 이렇게 조용한 2학년 4반은 처음 봤다. 평소에는 엄청 시끄러웠는데 오늘따라 조용했던 것이었다. 몇 분 뒤 종이 쳤고 감독쌤이 들어와 시험지와 답안지 카드를 주셨다. 생전 처음보는 선생님이라 성격을 몰랐던 탓인지..나는 긴장을 더욱더 바짝 했다. 나는 몰랐다 그 처음 보는 선생님이 내년에 3학년 담임이 될 줄은. 근데 문제가 이렇게 어려웠나? 공부 좀 할 걸 그랬나? 나는 머리를 최대한 쥐어짜서 문제를 풀었다. 근데. 마지막 문제가 그렇게 안풀리는 것이다.

그때!
"띵 띵 띵~ 종료 5분전 입니다 딩딩딩~..."

제출하고 고된 한숨을 쉬었다. 그래도 다행이다. 과학라서. 수학이였으면……. 아! 상상만 해도 끔찍하다. 근데 그 끔찍함이 현실로 다가왔다. 다음 시험이 수학, 그 공포의 수학인 것이다. 아! 안돼. 난 침을 삼키며 시험지를 받았다.

"이런. 생전 처음보는 문제들만 있잖아? 아, 안돼!!!"

그렇게 난 수학을 망쳤다. 그리고 친구들하고 점심을 먹고 얘기하던 중 답안지가 나왔다는 소식을 듣고 과학이라도 잘해보자라는 생각으로 채점을 했다.

"아..씨.."

"왜? 왜? 잘 맞았어??"

지수는 왜 이렇게 눈치가 없는지 모르겠다. 시

험 망친 게 뻔히 표정으로 다 보이면서 그걸 모르다니.

아이고! 처음에는 애가 저러지 않았는데. 왜 중요할때만.나는 순간 화가 나서 칠판을 쾅! 하고 쳤다.

그때..!

"슈우웅~ 탁! 쨍! 그랑~ "

나는 놀라서 옆을 봤는데, 시계가 깨져있었다. 아. 사고친 건가… 그래도 다행인 건 아무도 안 다쳤다는 거다. 휴. 나는 얼른 빗자루하고 쓰레받기를 가져와 유리를 쓸었다. 신속하고 빠르게. 지수는 많이 놀랐는지, "뭐야? 뭐야?"거리고 있었다. 우리는 그렇게 열심히 치우던 중 쌤이 오셔서

"음. 다행히 시계는 작동하게끔 고칠 수는 있겠네."

“어우, 다행이다.”

“다행이긴 뭐가 다행이야 이 자슥아! 내 머리통이 박살났는데!!!”

“으아아악 잘못했어요!!!”

그날 이후, 난 시계를 깬 벌로 교실 청소까진~ 아니고 좀 혼나다가 하교를 했다. 내 친구들 소문으로는 내가 중간고사마다 시계를 깨는 아이로 알려져 있었다고 한다. 하하.. 정말 나 어릴 땐 왜 그랬을까? 지금의 나로선 이해가 안된다. 하하하!

“아! 타임머신이 개발되면 무조건 과거로 돌아가서 내 이미지부터 고칠 거야..꼭!!!!!”

이렇게 말했지만, 현실적으로는 100년 아니 1000년이 지나도 못 갈 것 같다. 역시 난 너무 현실적인가?

Day 5 [암울했던 체육대회]

우리는 오늘 너무 들떠있다. 왜냐면 내일이 바로 체육대회이기 때문이다. 솔직히 1학년 때는 코로나 때문에 축제도 못하고 체육대회도 제대로 진행이 안됐기 때문에 더욱 기대하는 것 같다. 그래 이왕 하는 거 제대로 하자Go!

우선 선생님의 지시를 따라 운동장으로 이동했다. 다행히 아침이라 선선해서 좋았다. 우선 1학년부터 3학년까지 운동장 끝부터 서서 준비운동을 하고 교장쌤의 말씀을 듣고 자리로 돌아가서 원카드를 했다. 솔직히 우리는 원카드에 미쳐있었다. 암튼 원카드를 재밌게 하고 있는데 벌써 줄다리기를 한다는 것 아닌가? 다행히 1학년부

터 했지만. 그 1학년 손에 절여진 땀장갑을 써야 된다니. 벌써부터 머리가 아프다. 그렇게 10분이 지났고 드디어 우리 차례가 되었다.

“자! 2학년 4반, 2학년 7반 나오세요!!”

다행이다. 상대가 약체반이라서. 그래도 긴장은 해야겠지. 일단 우리는 목장갑을 끼고 지그재그 순으로 섰다. 떨린다.그래도 우승을 위해서라면.

“자..준비하시고!! 준비~ 삐이익!!!”

힘찬 호루라기 소리와 함께 모두 줄을 당겼다. 처음에는 좀 끌려가나 싶었지만, 점점 줄이 우리 쪽으로 오는 것이 느껴졌다.

“됐어! 이겼다고!! 좀만 더 버티면 이긴다!”

나는 마지막까지 줄을 꽉 잡고 온 힘을 다해 당겼고 호루라기 소리를 마지막으로 모두 주저

앉았다. 하긴, 힘을 많이 줬으니 다리가 풀릴 만도 하겠거니 싶었다. 근데 문제는 이제부터 시작이었다. 초반에는 잘 풀리는가 싶었더니 중반부터 일이 꼬였다. 협동 제기차기 이어달리기도 무난하게 했지만, 줄넘기에서 망해버렸다. 지수가 그렇게 많이 걸릴 줄은 몰랐다. 뭐 어차피 잘해도 뒤에서 1등이지만. 그렇게 우리는 줄넘기를 끝내고 힘없이 앉아 있었다.

하루 종일 멍때리다 보니 어느덧 점심시간이 되었다. 점심시간에는 선생님들끼리 축구 경기를 하는 작은? 이벤트가 있었다. 천빰빰샘이 뛴다니, 솔직히 기대도 안했다. 우리반 샘은 자전거 10분만 타도 헥헥거리는 사람이라.

“자~ 선수들 입장하시고!! , 지금부터 선생님들 vs 학생들의 축구 대결을 시작하겠습니다!”

드디어 경기가 시작됐다. 예상대로 천빰빰쌤은 못하셨고, 다른 쌤들은 날렵해서 그런지. 잘 뛰었다. 하지만 나이는 못 속이는지, 초반에는 1

대 0으로 앞서가다가 막바지에 1 대 3으로 졌다. 이렇게 축구 경기가 끝나고 5분 정도 쉬는 타임을 가졌다. 이제 곧 집에 간다니.

"아! 나의 하루가 이렇게 빨리 가는구나. 다음이 이어달리기였나? 빨리 끝났으면 좋겠다."

"음. 아마 이어달리기는 금방 끝날걸~?"

"그런가?"

진짜 지수 말대로 이어달리기가 시작되자마자 끝났다. 솔직히 너무 빨리 끝나서 볼 것도 없었다. 뭐, 이렇게 체육대회는 싱겁게 끝났다. 예상했던 대로 우리 반은 뒤에서 1등을 했다.

"얘들아~ 재밌었지?"

"아뇨. 그래서 집은 언제가요?"

"조금만 기다려 봐. 곧 끝날 거야."

천빰빰쌤은 이렇게 말하셨지만 정확하게 우리는 30분 동안 태양 밑에서 쪄 죽다가 집으로 갔다고 한다. 믿거나 말거나.

Day 6

[공포영화보다 더 무서운 것]

오늘은 학교에서 방학 전 일주일 동안 뭘 볼지 결정하는 날이었다. 쌤은 넷플릭스에 들어가서 우리가 원하는 영화나 드라마 등을 추천해 주셨다. 첫 번째 후보는 애나벨 두 번째 후보는 심야괴담회가 있었다. 우리는 차례차례 신중하게 투표한 끝에 결국 애나벨이 뽑았다.

두둥..쿠우웅..!

소리와 함께 영화가 시작됐다. 솔직히 공포 영화를 못 보지만, 일단 나는 집중해서 영화를 보고 있었다.

"야,,야 저 영화 무섭냐?"

"아니? 별로 안무서워 너도 봐봐."

라고 개구라를 쳤다. 사실 나도 이 영화를 안봤지만 나만 당할 순 없으니. 고통은 함께 나누는 법이니까 흐흐. 근데 처음에는 별로 안 무서웠는데 뒤로 갈수록 점점 무서워지는 것이다. 와 진짜 이걸 어떻게 하냐. 아~ 나 공포영화 못 보는데. 홍수한테 말할 수도 없고. 허허. 일단 참고 보기로 했다. 그런데 이 장면에서 결국 소리를 살짝~(?) 질렀다. 물론 홍수가 이때, 주인공이. 문 틈 사이로 보는데.

"으갸갸갸갸갸갸갹!!"

"으아아아..야! 너때문에 나도 놀랐잖아!"

"ㅋㅋㅋ미안;; 야야 너 이 책 아냐?"

"뭔데?"

"이 책에서 고양이가 나오거든 근데 너..닮.."

"야야. 저거 봐봐."

"? 으아아아아아아악!"

"ㅋㅋㅋ nice! 어떠냐? 내 놀리기 실력이?"

"하하하하. 너 일루와.^^"

"아이고 사람살려. 그런데 지금 그 모습! 딱 저기 나오는 인형같……어?"

아. 말실수. 역시 사람은 말을 줄여야 돼. 그러면 안 맞았을텐데. 우리는 이렇게 시간을 허비했다. 여원이는 구경만 하고 있었다. 눈을 희번덕 뜨고 날 죽이려 드는 홍수와, 그걸 피하려는 나. 그리고 그걸 막으려는 지수까지 아주 난장판

이었다.

이렇게 일주일은 순식간에 지나갔지만 뭐 방학 끝나면 또 만나겠지 싶었다. 근데 막상 방학되니까 학교 급식이 자꾸 생각난다. 그때.

드르륵~ 탁!

"자~ 오늘 뭐 실컷 놀았지? 자습하자~"

라고 국어쌤이 들어오면서 말했다.

"아 쌤~ 저희 심야괴담회 보면 안돼요?"

"그럼 조건이 있어. 니들 영상 소리보다 말소리가 더 커지면 영상 끌 거야. 알겠지?"

"넵 조용히 있겠습니다!"

그런데 그 영상이 무서웠던 탓인가 얘들은 점점 말소리를 높여갔다. 처음에는 쌤도 봐줄 만한

목소리였지만 점차 커져만 갔고 그때 영상에서 갑툭튀 장면이 나와 애들 중 한 명이 소리를 질렀다.

"으아아아아악!!"

한명이 소리를 지르자, 긴장감은 더욱 고조된다. 원래 이 영상은 별로 안무서운데 왜 오늘따라 더욱 무서운지 모르겠다. 근데 이때까진 몰랐다. 영상보다 더욱 무서운 것이 등장할 줄은. 애들은 그것도 모르고 더욱 대범하게 떠들었다. 마침 소리 지르고 난리 난 시점에 이번만큼 맘 놓고 떠들기 좋은 타이밍은 없을 것이다. 그래서 그랬던 것 같다. 그때, 갑자기 바닥에 그림자가 엄청 길어지며 커지더니.

"야!!!! 니들 그렇게 떠들 거면 왜 영상 틀어달라고 했어??? 니들 이럴 거면 보지마!!!!!!"

순간 쌤의 폭발로 정적이 흘렀다. 마치 처음부

터 아무것도 없었던 것처럼 모든 게 조용했다. 아놔 남자 애들은 눈치가 왜 이렇게 없는 것일까? 하! 처음부터 조곤하게 떠들었으면 쌤이 소리 지를 이유도 없었을 것이다. 우린 그렇게 쉬는 시간까지 서로 눈치를 보면서 있었다.

잠시 후, 담임쌤이 들어오더니.

"얘들아 혹시 오늘 국어 시간에 무슨 일 있었니?"

"....."

"쌤이 국어쌤한테 듣고 왔지만 니들 말도 들어야 되니 묻는 거란다. 무슨 일 있었어?"

"쌤. 저희가 너무 시끄럽게 떠들어서 국어쌤이 화나신거에요."

"그랬구나 그럼 얌전히 남은 시간 조용히 보

낼 수 있지?"

" 네.."

그렇게 말하곤 홀연히 수업하러 다른 반으로 가셨다. 솔직히 애들은 억울하겠지만 나는 오히려 짜증이 난다. 아니 애들이 안 떠들었으면 이런 일도 없었을텐데. 내 남은 일주일이 이렇게 지나가는 건가 싶은 마음이 들어서 너무 아쉬웠다.

그렇게 1시간, 2시간을 보내고 어느덧 종례 시간이 찾아왔다. 나는 아무 생각 없이 짐을 싸고 있었는데, 쌤이 평소보다 어두운 표정을 하고는 우리에게 중대 발표를 하는데.

안물•안궁 TMI 1.
[good bay. 천빰빰 Teacher]

“얘들아, 너희 방학 잘 지내고.국어쌤 말씀도 잘 듣고. 그리고 새로운 쌤 오시면 잘 적응하고. 알겠지?”

“에이. 그렇게 말씀하면 저희가 더 섭섭한데, 그리고 다른쌤이라니요?”

“아! 말 안해줬나? 나 여름방학 끝나면 이제 여기 안 올 거야.”

“예?????!!!!!!! 그게 무슨 소리에요!!! 쌤이 여길 안 온다니! 무슨, 말도안돼!!!!”

라고 했으면 을마나 좋았을까~ㅎㅎ 아마 쌤은

이런 반응을 기대했겠지만 실제로는 2반한테 이런 말을 들었다고 한다.(백수 축하축하 ㅋㅋㅋㅋㅋㅋㅋㅋ) 허허. 그래도 담임쌤이니. 우리는 그런 말을 할 수 없었지만. 이럴 때 꼭 말하는 놈이 있었지.ㅋㅋ 그치만 갑작스러운 말에 애들은 처음에 아무 말도 못하다가 분위기 싸해질까봐한 말이겠거니 하고 넘어가신 듯 하다. 역시 우리 천빰빰쌤은 대인배라니깐.

근데 김기훈이기 그 자식이 쌤 가기 전에 목소리를 녹음하겠다나?ㅋㅋ 대단한놈. 그렇게 우리는 쌤하고 마지막 수다를 떨다 종이 치자 뒤도 안 돌아보고 후다닥 사라졌다. 의리없는놈들. 물론 나도 후다닥 사라졌지.ㅋㅋ

“어쨌든, 재밌는 1학기였다. 아~ 방학 때 뭐하지? ㅋㅋ"

“뭐하긴 공부해야지.”

“그놈의 공부 지겹다.”

"지겨워도 해~ 그래야지 3학년 때 잘하지~"

"뭐래. 아 공부하기 싫다~!!!!"

2학기

Day 7

[여름방학에 하는 악몽같은 입시 시작]

오늘은 미술 학원에서 여름방학 특강과 입시를 하기로 했다. “아 짜증난다. 진짜 아니 왜 입시는 항상 여름에 하는 거야?? 더워 죽겠는데. 아아아! 집 가고 싶다.” 진짜 이때 ‘집 가고 싶다’ 이 문장을 몇번 말했는지 모르겠다. 아마 그때가 8월 달이니. 그럴만도 했겠지 뭐! 어쩌겠어? 입시는 해야되는건데.

나는 입가에 침이 마르도록 투덜투덜거리면서 학원에 도착했다. 학원 첫날에는 쌤들하고 진짜 어색했는데, 지금와서 보니 거의 말을 밥 먹듯이 하는것 같다. 우선 자리부터 세팅하고 연필 같은 것을 올려두고 화장실로 갔다. 근데 화장실을 갔

다오니, 인물 크로키를 벌써 시작한 게 아닌가!

“앗..안돼!!”

나는 헐레벌떡 자리로 가서 합판을 들고 A4에다가 구도를 잡았다. 근데 다행인 건 30분 크로키라 아직 시간이 여유가 있었다. 천천히.. 얼굴을 그리고 옷과 신발을 그렸다. 근데 보면 볼수록 사람이 아닌 것 같았다. 마치 한 마리의 야생동물을 그리고 있는 느낌이랄까? 역시 처참한 내 그림 실력 인정해주지. 그때 쌤이 옆으로 다가왔다.

“(소원아, 인물을 보고 그려야지.)”

“! 앗! 보고 그리고 있어요.”

“놀랐니? 미안해.ㅋㅋ"

“아뇨! 아뇨! 저 안 놀랐어요.ㅋㅋ"

아니 미술샘들은 왜 다 조용하게 오시는지 모르겠다. 역시 이게 제일 공포라니깐. 어우. 우선 크로키가 끝났으니 크로키북은 앞에다가 내놓고 자리로 돌아왔다. 아~ 친하지도 않은 애들하고 앉아있으니 너무 어색했다. 다 ㅁㅁ중학교 학생이라는데. 으아아~ 한 번도 본 적 없는 애들이잖아. 어떻게 말을 놔야되는지 모르겠다. 혼자서 멍~ 때리는데 누군가 말을 걸어왔다.

“똑똑. 저기……. 너 ㅁㅁ 중학교 출신이라며? 반갑다~”

“어. 그래. 너 이름이 뭐니?”

“어. 나는 어……. 쌤 온다. 이따가 이야기하자”

이렇게 허무하게 끝난 첫 만남은 처음이다. 같은 학교 출신인데, 너무 소심해서 탈이라니까. 그래도 친구 한 명 만들었으니 다행이다. 근데 사람 얼굴 그리는 것이 이렇게 어려운 일인지 몰랐다. 구도만 잡고 그리면 땡인 줄 알았는데,

사람이 이렇게 섬세한 줄이야. 어우 힘들다. 이제 5분만 있으면 쉬는 시간이라니 롯데리아에 가서 햄버거나 먹어야겠다. 근데 지금까진 몰랐다. 쉬는 시간 20분이 이렇게 짧을 줄은.

"자~! 얘들아 20분까지 쉽시다!"

"네~"

나는 쉬는 시간이라는 소리를 듣자마자 누구보다 빠르게 롯데리아로 뛰어갔다. 마침 엘리베이터도 딱 맞춰서 3층에 있고 아주 nice 하구만 ㅎㅎ 우선은 엘리베이터를 타고 1층으로 내려가서 햄버거 가게 문을 열고 햄버거를 시켰다. 근데. 이게 왠걸! 5분, 10분이 지나도 햄버거가 나오지 않았다. 그때 나는 평소 쉬는 시간이랑 입시 때 쉬는 시간이랑 다른 줄 몰랐으니 아주 잘한 짓이지. 나는 그렇게 20분 넘게 햄버거를 기다려서 30분까지 먹고 학원으로 갔다. 학원에 도착했을 때 쌤이 물어봤다.

"소원아 너 왜 늦게 왔니?"

"아. 저 화장실 다녀오느라."

"아~ 그럼 다음부턴 늦지 말렴."

"네."

일단 화장실 갔다 왔다고 둘러 됐으니, 괜찮겠지? 앞으로는 늦지 말아야겠다. 근데 입시 첫날이라 그런지 긴장이 빡 된 것 같다. 어차피 점점 느슨해질 테니 후후. 뭐 이제 남은 거 그리고 다음 주제로 넘어갔다. 이번 주제는 다다익선이었다. 아니 뜻은 아는 데? 왜? 주제가 사자성어인 거야? 이해할 수 없었다. 아! 내가 가는 예고가 고전적이라 사자성어 아니면 속담이 나온다고 해서 그런건가? 그래도 이건 너무하다고 생각한다. 아무리 생각해도 주제에 관한 스토리가 떠오르지 않는다. 왜지? 왜. 왜!!!! 역시 내 머리로는

안 되는 걸까? 흑 슬프다. 암튼 난 머리를 비틀며 스토리를 써 내려갔다. 짜증과 피곤함이 몰려와지만 통과만 하면 그림을 그릴 수 있다 라는 생각으로 임했다. 잠시 후 나는 쌤을 불러 검사를 받았다.

"음. 구성 자체는 좋은데, 여기 부분만 수정하고 바로 드로잉하자."

"네!!"

참으로 깐깐한 쌤인데, 휴, 고비는 넘긴 건가 싶던 찰라! 옆에 미술계의 공포라고 불리는 완벽주의자 쌤이 있는 것이 아닌가!

"오.. 이제 드로잉 하는거야?"

"네."

"그럼 쌤이 좀 봐도될까?"

"네. 네!"

(안돼. 도르마무는 안돼! 제발 제발…….)

"아..여기가 부족한데. 일단 담당 쌤이 통과해주셨으니 해."

오! 왠일로 완벽주의자 쌤이 통과를. 이건 평생 운을 다 쓴 게 분명하다. 암튼 난 기쁜 마음을 진정하고 드로잉을 서둘러 그렸다. 근데 계속 그리다 보니 시간이 너무 느리게 흐르는 기분이었다. 이정도 그리면 체감상 7시는 될 줄 알았는데 5시라니. 손은 저려 오고. 허리는 부러질 것 같고. 나 김소원은 지옥 같은 입시 미술에서 탈출할 수 있을까?

Day 8

[새로운 선생님과 함께하는 축제]

오늘은 새로운 선생님이 오시는 날이다. 천빰빰쌤과 같은 과학쌤이라고 하던데. 무지무지 설레면서 학교에 도착했다. 교실문을 딱 열었을 때 조용했다. 아마도 애들이 별로 없어서 그런 것 같다. 일단 가방을 풀고 친구 자리로 가서 수다를 떨고 있었는데,

"드르륵!"

소리와 함께 선생님이 들어오셨다. 그런데 너무나도 아름다우신 것이 아닌가!, 정말 여신을

보는 느낌이었다. 쌤은 우리를 처음 봐서 그런지 약간 어색한 말투로 말하셨다.

“얘들아~ 안녕? 천빰빰 선생님 대신 내가 너희들하고 같이 수업하기로 했어. 반가워.”

“아..안녕하세요.”

이렇게 어색한 2-4반은 처음이었다. 평소와 다른 분위기. 난 마음에 들어~♡ 아무튼 새로 오신 선생님과 이런저런 이야기를 하다 보니 어느새 축제가 코앞으로 다가왔다. 확실히 천빰빰샘보다 경력자다보니 축제에 대해서 아주 많이 알고 계셨다. 선생님은 우선 축제의 꽃인 부스에 대해서 이야기하셨다.

“자 얘들아~ 오늘 부스를 정할 건데~ 너희들 의견을 말해 보렴”

“선생님!!!! 분식집 어떠신지?^^”

“그, 그래 분식집 좋네! 다른 의견 있는 사람?”

“어차피 애들은 다 분식집을 원하는 것 같으니, 분식집 합시다!!!”

“이렇게 반강제적으로 정해진 건 기분 탓이겠지만, 아무튼 정해졌으니! 우리 파이팅하자^^”

“네~”

“아 참! 그리고 부스 할 때 1부랑 2부 때 할 사람 정해야 되는데. 할 사람?”

“선생님! 저희 세 명이서 할게요.”

“괜찮겠어? 1부는 힘들텐데.”

“네 저희는 할 수 있습니다!”

이렇게 정해진 듯하지만, 축제 날이 되자마자 사람들이 몰리는 바람에 애들은 바꿀 새도 없이 일했다고 한다.

(오전 축제날)

"얘들아 오늘 축제 날이니까 1부에 일할 사람들은 준비하고, 나머지는 즐겁게 놀앙."

확실히 축제날이어서 그런가 반 분위기가 사뭇 달랐다. 반 안에서는 맛있는 냄새가 올라왔다.

"아 맛있겠다. 지수야 뭐 사먹자!"

"음 콜팝이랑 떡꼬치 있네, 뭐 먹을래?"

"콜팝 먹자"

우리는 그렇게 콜팝을 사들고 부스 이곳 저곳을 돌아다니고 있었다. 그렇게 돌아다니다 보니 점심시간이 되었다. 점심을 맛있게 먹고 반으로 돌아가서 놀고 있었다.

근데 서승현이 컴퓨터 앞에서 '네모의 꿈'이라는 노래를 틀길래 우리는 옹기종기 모여서 노래를 같이 따라 불렀다. 그때 나도 즐겁게 불렀는데 선생님이 촬영하신 영상 속에서는 ㅋㅋ.. 음치인 내가 적나라하게 찍혀있었다. 솔직히 그땐 몰랐는데 이제 와서 보니 너무 부끄럽다.

그렇게 점심시간 내내 놀고 1시 30분쯤에 모두 강당으로 모였다. 포스터에서는 공연이라고 안내가 되어있는데 솔직히 무슨 공연인지는 몰랐다. 초반에 오케스트라의 공연이 시작되고 이어서 학생들의 장기자랑을 했다. 장기자랑 중 가장 재밌는 건 3학년 선배들이 하는 랩 정도였다.

그리고 1부가 끝나고 난 뒤 이어서 치어리딩 공연이 시작되었다. 역시 우리 학교 치어리딩부는 개멋있는 것 같다. 그렇게 한참 멍때리면서 치어리딩을 보다보니 어느새 2부가 시작되었다.

2부 역시 학생들의 장기자랑으로 흘러갔다. 그러던중, 거의 끝날때쯤 mc가 깜짝 소식을 전했다.

“여자mc : 여러분 마지막이라 너무 아쉽죠?”

“남자mc : 그래서 저희가 마지막 대미를 장식하고자 선생님들이 이벤트를 준비했다고 하는데요? 함께 보시죠!!”

“남,여 mc : 3학년 선생님들의 댄스파티!!!”

정말이지 상상도 못했다. 평소에 무섭고 기피대상이었던 3학년 선생님들의 앙증맞은 춤이라니 너무 귀여웠다. 물론 그때 나는 아직 2학년이라 3학년 선생님들을 몰랐지만. 암튼 선생님들이 춤춘 노래 제목은 ‘H.O.T의 캔디’였다. 서로 반티처럼 깔 맞춰 입은 무지개 반팔티. 그 속에서 빛나는 내년 3학년 담임 ‘용용’샘. 완벽 그 자체였다.

이렇게 30초 동안 캔디를 추고 남자 선생님들은 갑자기 무대 뒤쪽으로 빠지셨다.

"뭐야 뭐야! 왜 빠지는 거야?"

"좀만 기다려봐 곳 엄청난 게 나올 테니까"

잠시후..

남자 선생님들이 검정색 옷 차림으로 나오시더니 분위기를 잡았다. 엄청 신났던 노래도 한순간에 조용해졌다. 다들 뭐지 뭐지 할때.. 갑자기 심장 박동 소리가 들리더니 선생님들이 칼군무를 유지하면서 넓게 쫙 퍼졌다. 그리고 춤을 추는게 아닌가? 솔직히 존나 멋있었다.

"이 정도면 사법부가 뺏어간 은둔의 아이돌 아이돌 아님? ㅋㅋ"

"ㅋㅋㅋ 인정한다."

그렇게 반전의 선생님들 장기자랑을 끝으로 축제는 모두 끝났다.

이제 일주일만 더 나오면 지겨웠던 나의 2학년 생활도 끝이다. 아! 1년 더 남았지? 이런.

Day 9
[안녕, 나의 2학년]

이제 학교에서 해주는 모든 행사가 끝이 났다. 앞으로 남은 일주일 동안 우리는 반에 뒹굴뒹굴하며 시간을 떼우고 있었다. 3학년 때는 어떨지 모르겠지만 지금 모습하곤 달라진 건 없겠지만. 내년 담임도 궁금하고, 친구들도 궁금하고. 달라진 내 모습도 궁금하다.

“꿈 깨라. 어차피 3학년이나 2학년이나 달라진 건 하나도 없을걸?”

“지랄하네 내년에 난 지금처럼 안 살거임 ㅅ

ㄱ”

“과연? 어쩌면 지금보다 더 심해질 수도?”

정여원 말도 틀린 말은 아니지만 미래는 모르는 거니깐.

“자 얘들아! 일주일만 학교 나오면 방학이지?”

시끌 시끌.

“얘들아? (쩝. 학기말이라 듣는 애들이 없네.)”

“모두 조요오오오옹!!!!! 선생님 이제 말하십시오”

“어어. 시영어 고마워, 암튼 모두들 수고했고 내년에 봅시다^^ 시간은 아주 빠르니까”

선생님의 말처럼 정말 일주일이 순식간에 지

나갔다. 선생님들도 이제 수업하기도 귀찮으신지 영화를 틀고 홀연히 교무실에서 업무를 보셨다. 우리도 영화를 하도 보다보니 이제 지겨워서 영화를 틀어줘도 잘 지경이었다. 체육을 해도 자율체육만 하다 보니 여자 애들은 앉아있고 남자 애들은 피구, 축구, 배드민턴을 했다.

“야 소원, 학기말인데, 이렇게 지겨운 체육은 처음 아니냐?”

“음. 홍수, 너는 평소에도 지겨워했잖아?”

“흐흐^^ 일루와”

“으아아아아악 여원아 살려줘어어어!!!!”

“에휴.. 저놈들은 지겹지도 않나.”

“큭큭 그래도 배드민턴 채로 안 때리는 게 어디냐?”

"야! 니들 왜 안 도와주고, 거기 구경하냐? 헉헉."

"니가 도와달라고 안 했잖아?"

"ㅅㅂ놈이?"

이렇게 아름답고(?) 찬란했던 나의 2학년 생활도 막을 내렸다. 철없던 어린 내 모습을 보니 후회되는 게 있지만, 지금으로선 추억으로 가장 강렬하게 남은 것 같다. 남의 시선으로 봤을 때는 이 정도면 선도에 끌려가는 거 아닌가?라는 생각이 들 정도로 판타스틱하게 2학년을 보냈지만 그래도 즐거우면 그만 아닌가? ㅋㅋ

암튼 지금까지 나의 중2 이야기 들어줘서 고마웠고 내년에는 더욱더 철든 모습으로 만나자!!

안녕!!!! 나의 거지같은 친구들아!!!

??? : 이러고 3학년 때 또 만나쥬??

안물•안궁 TMI 2. [소원이의 실체..?]

사실 이 이야기는 지수가 말해줘서 알았다. 내가 중2 스포츠 시간에 배드민턴을 하고 있었다. 그때 시간으로는 1학기 말 화요일 6교시(오후 2시 10분)

비가 세차게 오던 날이어서 그런지, 체육관 바닥이 미끄러웠다.

홍수비는 그걸 아는지 모르는지 내 롱패딩을 잡고 날 뒤로 끌었다. 순간 내가 발을 헛딛어서 뒤로 넘어졌는데 머리를 박았다. 아주 쎄게. 그때 나는 머릿속이 하얘졌다. 이때부터 기억이 사라진 듯.

암튼 지수가 말하길. 내가 머리를 박고 나서 한참 웃더니 갑자기 벌떡 일어나서 배드민턴 채가 있는 창고로 가서 채를 하나 집어 들고, 홍수빈을 쫓아가서 팼고 목을 졸랐다는데. 이 이야기가 사실인지는 나도 아직 의문이다.

안물•안궁 TMI 3.
[중3 담임쌤이랑 떡볶이를 먹다?]

중2 이야기에서 갑자기 중3 이야기가 나와서 당황스러우실 테지만, 그냥 들으세요.^^

이 이야기는 내가 중3 여름방학 직전에 1반이랑 7반이랑 단합대회를 할 때였다. 막 물총도 쏘고 선생님들이 준비하신 퀴즈도 풀고 아주 재밌게 놀았다. 사건은 보물찾기 때 일어났다. 거기서 새로 사귄 친구들하고 즐겁게 보물을 찾고 있었는데 3층 탈의실 벽 쪽에 원래 종이 찢어진 자국이 3개가 있어야 되는데, 왠걸? 4개가 있는 것 아닌가. 나랑 친구는 조심스럽게 종이를 펼쳤다. 역시 예상대로 보물이였다. 근데 내용이…….

"☆서용용 선생님과 즐거운 데이트☆"

라고 적혀 있었다. 다른 애들은 초콜릿 막 이런 게 나왔는데 나만 왜 이런 거지 같은 것인지ㅋㅋ. 이해할 수가 없다. 암튼 여기까지가 단합대회 때 있었던 내용이고, 그다음이 문제였다. 나는 잊어버리려고 2학기 동안 말을 안 하고 있었는데 선생님이 조례 시간에 대뜸 물어봤다.

"소원아, 보물찾기 밥 언제 먹을래?

"네. 네? 모르겠어요."

"흠 그럼 뭐 먹지? 일단 먹고 싶은 거 말해봐~, 한우 이런 건 안 돼^^"

역시 우리 담임쌤. 한우는 안된다고 아주 단호하게 말씀하시는군.

일단 우리는 선생님과 상의 끝에 떡볶이로 결정했다. 근데 여름이다보니 선생님이 더운 건 싫으신지 갑자기 토론을 신청하셨다(?)

"소원아 너에게 선택권을 줄게^^"

[1. 폭염을 뚫고 겨우겨우 두끼 가서 떡볶이 먹기]
[2. 2학기 시작하고 학교 종례 후 시원한 교실에서 음식 시켜 먹기]

"어떤 게 좋으니? 너의 선택을 100% 반영할 게^^"

선생님은 강요가 들어간 게 아니라고 하지만, 솔직히 의도가 뻔히 보이는 건 기분 탓이겠지?

암튼 난 2번을 선택했고 그렇게 불편한 떡볶이 여행이 시작됐다고 한다.

KB096271